土から茎が出る

花がさく

実

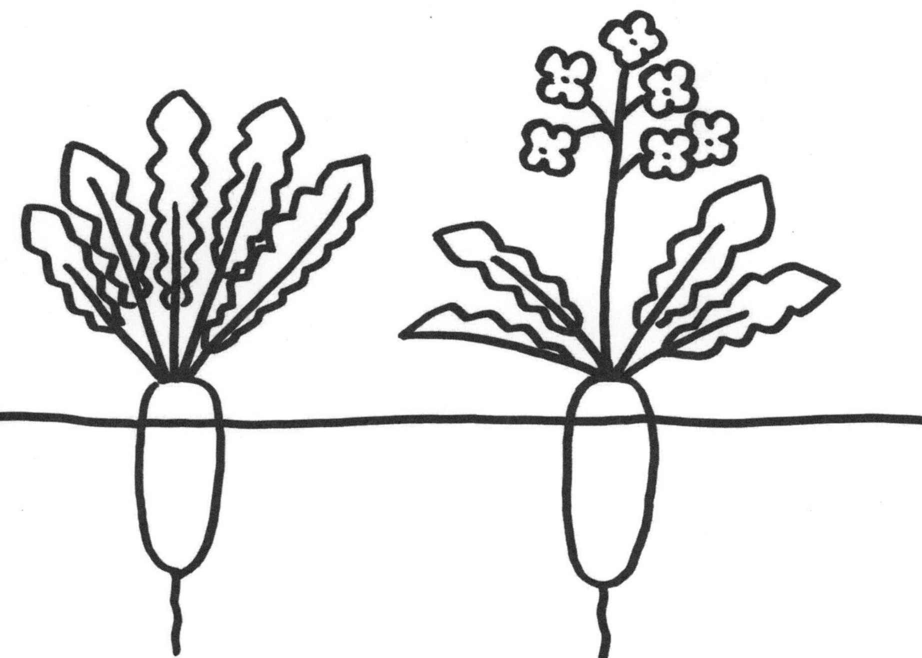

茎が太くなる

花がさく

実ができてかれる

わくわく園芸部

❷ダイコン・カブ

清水俊英［著］

誠文堂新光社

はじめに

みなさんが食べている野菜やくらしをいろどってくれる花は、すべて植物です。植物はじんるいが生まれた時にはすでに「ちきゅうのせんぱい」として生きていました。

この本は、そんなちきゅうのせんぱいである植物をさいばいしながら、そだてる楽しさ、いのちの大切さ、植物のふしぎをかんじてもらうために作りました。

さいばいには、ほんの少しのコツとかんさつのポイントがあります。それさえまもれば、いままでそだてたことのない君も、うまくそだてられるぞ！

さあ、さいばいにチャレンジして、かんさつしながら、植物のふしぎをのぞいてみよう。

日数 タネまきから何日目かをしめしている。

さいばいについて このページではさいばいについて、どんなおせわがいるのかまとめているよ。

マンガ さいばいやかんさつのポイント、植物のふしぎをマンガでしょうかいしているよ。

写真 道具やおせわのやりかたが写真でわかりやすい。

二次元バーコード スマホやタブレットで、植物の動画を見ることができる。

もくじ

ダイコンのさいばい

カブのさいばい

わくわく園芸部へようこそ!

タネをまいて芽が出たら水やりをしたり、ひりょうをやったりやることがたくさんあるよ
ウーンウン
同じ根菜でも根が太るもの、茎が太るものなど大きくなるぶぶんがちがうんだ
植物のふしぎをはっけんしていこうね！
はいっ！
そしてしゅうかくしたら…
おいしく食べるワン！
イェーイ
わくわくしてきたー！

さいばいのじゅんび

ダイコンやカブのタネをまいて、プランター（鉢）でさいばいします。さいばいで使う道具をそろえましょう。写真とおなじものでなくても、みぢかなものをかわりに使ってみてもよいでしょう。

じゅんびするもの

タネ

タネは、ホームセンターや園芸店でかうことができます。皿などにおいて、かんさつしてみましょう。

ダイコン：9～10月にタネまきができる、みじかいタイプ（短形ダイコン）をまきます。

カブ：カブのタネをまきます。

プランター（鉢）

ダイコン：根がのびるので、ふかいものをえらびます。写真はよこはば60センチメートル、たて35センチメートル、ふかさ35センチメートルです。土が30リットル入るものをよういしましょう。

カブ：よこはば45センチメートル、たて23センチメートル、ふかさ25センチメートルです。土が15リットル入るものをよういしましょう。

ばしょ

日あたりがよい、南東〜南向きにひらけたばしょでそだてます。日あたりがわるいと、よく成長しません。また、風とおしがよいばしょの方が、虫や病気のひがいが少ないです。

ふくそう

日よけのためにぼうしをかぶって、長そでのシャツなどで作業します。また、土よごれが気になる人は、ぐんてやビニール手ぶくろをしましょう。

土（培養土）

土は「野菜さいばい用の土」を使います。水はけがよく、ほすいせい（土の中に水分をたもつこと）があり、ひりょうも少し入っています。

ひりょう

米つぶほどの大きさ（粒状）の化成ひりょうをよういしましょう。200 グラムあればたります。

シャベルなど

シャベルは、うえつけで使います。また、土のふくろからポットに土をうつす時には、シャベルより、写真右のようなカップ状の道具があるとべんりです。

ジョウロ

ジョウロは 2 リットルほどのものをよういします。ハス口（水が出るところ）にゴミがつまりやすいので、とりはずしできるものがよいでしょう。

かんさつのこころえ

大切なことは、毎日かんさつをすることです。かんさつすることで、植物のへんかがわかり、おせわをするポイントもわかってきます。

はなれてぜんたいを見る

植物ぜんたいがどのようなかたちになっているか、はなれて見てみましょう。茎がのびたり、葉が大きくなるという大きなへんかがわかります。

ちかくでかんさつする

植物が成長する時、さいしょは小さなへんかからはじまります。虫メガネを使うと、植物の毛を見ることができるかもしれません。

くらべてみる

ダイコンとカブを育てながら、タネや成長をくらべてみると、思いがけないはっけんがあるかもしれません。茎か根か、野菜になるのはどこなのか、ちゅうもくしてみましょう。

虫や病気がないかもチェック

かんさつしながら、虫や病気もチェックしましょう。葉のうらなど、見えにくいところもしっかり見ます。

きろく

毎日のようすを文や絵、写真できろくしよう。前の日とくらべて、どのようなへんかがあったか、どんなおせわをしたかもきろくしましょう。

1 植物のへんかをきろくする

芽が出る、双葉がひらく、本葉が出る、つぼみがつく、花がさく、実が色づくなどのへんかがあったらきろくしよう。

2 かずをかぞえる

葉が何枚あるか、せの高さは何センチメートルかをきろくします。実のかずもチェックしましょう。

3 植物のようすをきろくする

風で葉がおれてしまった、葉の色がうすくなった、虫や病気が出たなど、小さなへんかもメモしよう。

4 おせわ

水やひりょうをやったらきろくしましょう。おせわをしたら、ダイコンやカブがどのようにへんかしたかかんさつします。

ダイコンのさいばい

タネをまこう

大きなプランター（鉢）にタネをまきます。タネをまくのには、時期が大切です。いつまいたらよいのかは、タネぶくろのうらにヒントが書かれています。

タネぶくろ（おもて）

ダイコンにもいろいろなしゅるいがあります。この本では、みじかいダイコン（短形ダイコン）を育てます。

タネを見てみよう

タネをふくろから出して、かんさつしてみましょう。大きさもはかってみるとよいでしょう。

タネぶくろ（うら）

タネぶくろのうらには、たくさんのじょうほうがのっています。タネまきの時期や、温度も書いてあります。

タネまき

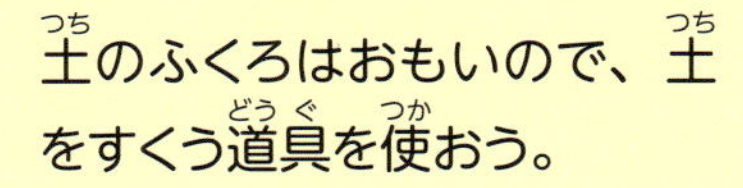
土のふくろはおもいので、土をすくう道具を使おう。

1 プランター（鉢）に土を入れる

土はプランター（鉢）のふちから５センチメートルくらい下まで入れます。

2 土をならす

手のひらで土を平らにします。へこみがあると、水をあげた時にいっかしょに流れてしまうよ。

3 あなをあける

タネをまくところにちょっけい５センチメートル、ふかさ１センチメートルほどのくぼみを５こ作ります。

4 タネを手にとる

タネをまく時は、手のひらか、小さな皿にタネをうつしてからまきます。

5 タネをまく

3でつけたくぼみに、５つぶずつタネをまきます。タネとタネのあいだを１〜２センチメートルあけます。

6 土をかぶせておさえる

土を1センチメートルほどかぶせて、手のひらでかるくおさえます。

7 水やり

ジョウロでやさしく水をやります。芽が出るまで、土のひょうめんがかわかないようにします。

＊タネを９月ぜんはんにまいてみて、うまく発芽しなかった時は、タネをまきなおしてみましょう。ちいきにもよりますが、９月いっぱいならば、まに合うかのうせいもあります。

発芽

タネまきから
5～7日目

芽が出る時、くびをかしげたようなかっこうで出てきます。それから双葉（子葉）がひらきます。ひらくタイミングを見のがさないように！

双葉 芽が出て、双葉がひらいています。くぼみに５つぶのタネをまきました。そのうち何本発芽したか、きろくしておきます。

光が好きなタネ、きらいなタネ

タネは光がないと発芽しにくい、光が好きなタイプ（好光性）と、暗くないと発芽しない、光がきらいなタイプ（嫌光性）があります。ダイコンは光がにがてなタイプ、ぎゃくにカブは光が好きなタイプなのです。タネをまく時、土をどのくらいかぶせるかイメージしてみましょう。

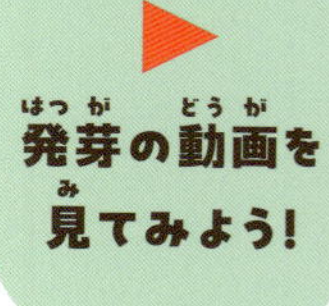

まびき（1回目）

双葉がひらいたら、本葉が１枚出るまでに１回目のまびきをします。元気のよい芽をのこします。

ハサミで切る

元気のいい芽をのこして、土のひょうめんギリギリのところで切ります。

３本にする

１回目のまびきでは、１つのくぼみに３本のこします。

たくさんまいて、まびくのはなぜ？

あとでまびくのに
なんでタネを
たくさん
まかないと
いけないの？
もったいないよー

タネはぜんぶ発芽
するとはかぎらないから
多くまくひつようが
あるんだよ

本葉がひらく

タネまきから
15~20日目

双葉のあいだから、本葉が出てきました。双葉と形や大きさをくらべて、きろくをしましょう。葉のひょうめんの毛も、虫メガネを使ってかんさつします。

本葉 ギザギザした本葉が出てきました。

双葉と本葉のちがいをスケッチしてみましょう。本葉は、ダイコンのしゅるいによっては、ギザギザしていないものもあります。君がそだてているダイコンの本葉はどんな形かな?

まびき（2回目）

タネまきから
30~40
日目

本葉が４～５枚になったら、２回目のまびきをします。元気のよい１本をのこして、ほかはハサミで切るか、手でぬいてみましょう。ここでは、ぬいた根をかんさつします。

まびきなは、食べることができるよ。
おみそしるに入れるとおいしいよ。

元気な１本をきめて、ほかはまびきます。のこす株の根もとをおさえて、そっとひきぬきます。

根もとにひりょうをやります。

ひりょうをやる

つぶのひりょうをティースプーンなどを使って、土にまきます。ひりょうをまいたら、根もとにむかって、少し土をよせます。茎がグラグラしないように、土でささえます。

さいばい中のおせわ

しゅうかくまで、水やりやひりょうのおせわはつづきます。
水やりは、土のひょうめんがかわいたら、鉢のそこから水が流れ出るまでたっぷりやります。
本葉が 10 枚ほどになったら、２回目のひりょうをやります。さらに、10 ～ 14 日ごに３回目のひりょうをやります。

しゅうかく

タネまきから
70~90
日目

タネまきから70～90日でしゅうかくができます。土の上に白い食べられるぶぶんが見えています。ゆっくりとダイコンをひきぬいてみましょう。

葉が大きくなり、土の上にダイコンの白いぶぶんが見えています。

ダイコン

葉をつかんで、ゆっくりひきぬきます。

やった〜〜!!

しゅうかくしたら、土をおとしてダイコンぜんたいをかんさつしましょう。
白いぶぶん、そしてほそい根もあります。どこが大きくなったのでしょうか。18ページを見てみましょう。

葉はごちそう

売っているダイコンは
葉がついて
いないよね
ダイコン

自分でさいばいすると
葉をかんさつすることも
できるし…
フムフム

とってもおいしいんだよ
えっ!?
食べられるの?

ゆでたり、しおもみにして
ごはんにまぜると菜めしになるよ
食べた〜い

食べるのは茎か根か？

ダイコンは、根と、根からつづいている葉のつけ根（胚軸）までが太ったところを食べます。

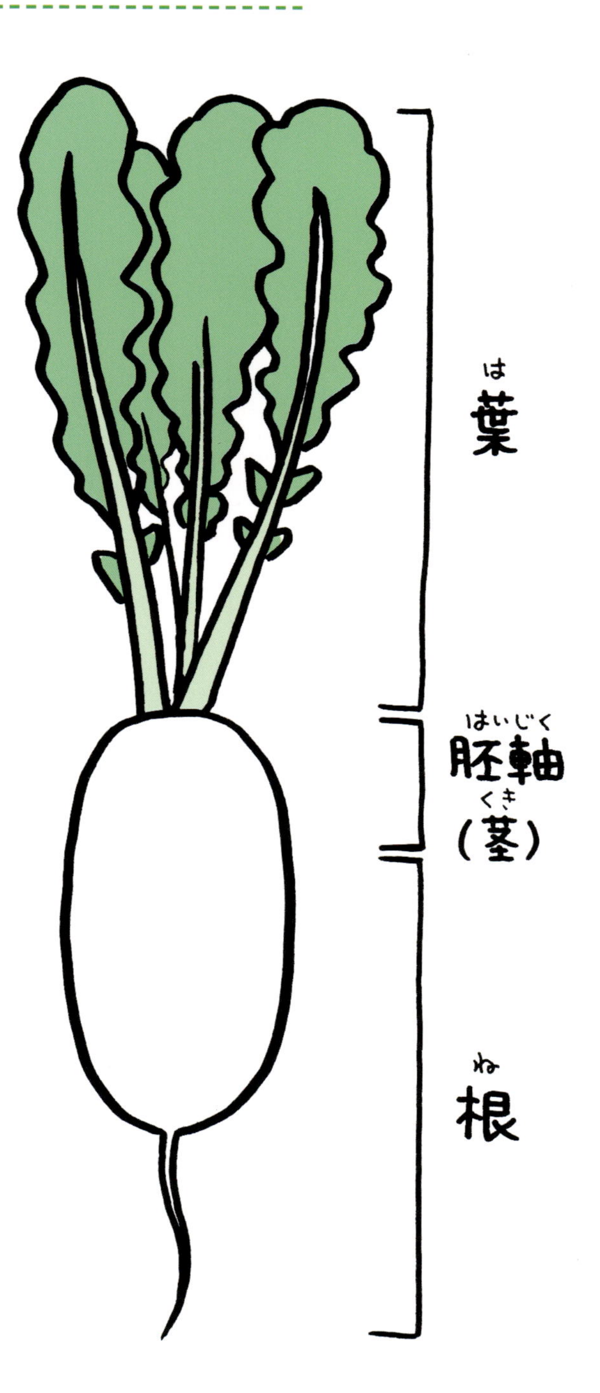

下のほそい根、その上のうすく赤いところが胚軸といって、野菜になるぶぶんです。

土の上に出ているのは、双葉の下の胚軸が太ったぶぶんです。

花をさかせて、タネをとる

タネをまこう

道具とタネをじゅんびしてからタネをまきます。じゅんびは6～7ページを見ましょう。大きなプランター（鉢）にタネをまきます。タネをまくのには、時期が大切です。いつまいたらよいのかは、タネぶくろのうらにヒントが書かれています。

道具は6ページを見よう

タネを見てみよう

大きさはどのくらいか、はかってみましょう。カブのタネには青や緑、赤などの色がついていることがあります。これは病気をふせぐための薬がコーティングしてあるしるしです。

タネぶくろのうらには、たくさんのじょうほうがのっています。タネまきの時期や、温度も書いてあります。

タネまき

土のふくろはおもいので、
土をすくう道具を使おう。

1 プランター（鉢）に土を入れる

土はプランター（鉢）のふちから５センチメートルくらい下まで入れます。

2 あなをあける

手のひらで土を平らにします。ちょっけい４センチメートル、ふかさ5ミリメートルくらいのくぼみを５こ作ります。

3 タネをまく

２であけたくぼみに、５つぶずつタネをまきます。タネとタネのあいだを１～２センチメートルあけます。

4 土をかぶせておさえる

土を3～5ミリメートルかぶせて、手のひらでかるくおさえます。

5 水やり

ジョウロでやさしく水をやります。芽が出るまで、土のひょうめんがかわかないようにします。

＊カブのタネまきは、ちいきによりますが９～10月にまきます。うまく発芽しなかった時は、タネをまきなおしてみましょう。

発芽

タネまきから
3～5
日目

タネをまいてから、3～4日で発芽します。芽が出る時、くびをかしげたようなかっこうで出てきます。それから双葉がひらきます。

双葉 芽が出て、双葉がひらいています。くぼみに5つぶのタネをまきました。そのうち何本発芽したか、きろくしましょう。

発芽の動画を見てみよう！

まびき（1回目）

双葉がひらいたら、本葉が1枚出るころに1回目のまびきをします。元気のよい芽を3本のこします。

土よせ ティースプーンなどを使い、根もとにむかって土をよせます。茎がグラグラしないように、土でささえるためです。

水やりをマスターする!

芽が小さいうちは、たおれたり、流れたりしないように、やさしく水やりしましょう

本葉がひらく

タネまきから
15~20日目

双葉のあいだから、本葉が出てきました。双葉と形や大きさをくらべて、きろくをしましょう。葉のひょうめんの毛も、虫メガネを使ってかんさつします。

本葉 ギザギザした本葉が出てきました。双葉とくらべて、本葉は葉がギザギザしていたり、ひょうめんに毛がありザラザラしていたりします。

まびき（2回目）

本葉が4～5枚になったら、2回目のまびきをします。元気のよい1本をのこして、ほかはハサミで切るか手でぬいてみましょう。

元気な1本をのこしました。

つぶのひりょうをティースプーンなどを使って、土にまきます。ひりょうをやったら、根もとにむかって、少し土をよせます。茎がグラグラしないように、土でささえます。

成長を見る

ひりょうを１回あげたあと、ぐんと大きくなるかもしれません。育ちざかりのみんなといっしょで、みんながごはんを食べると大きくなるように、ひりょうをあげると植物はぐんぐん大きくなります。

タネまきから
20~30
日目

本葉の大きさや枚数に注目しよう。

緑色をしていた茎の下の方（胚軸）が白くなっているよ。

タネまきから
30~40
日目

白いところが大きくなってきた。ここが食べるぶぶんになるよ。

もっと大きくするために、ひりょう（2回目）をあげます。ひりょうをやったら、土よせもしましょう。

しゅうかく

タネまきから 50 ～ 70 日でしゅうかくできます。
土の上に、食べられる白いぶぶんが見えています。
ゆっくりとカブをひきぬきましょう。

タネまきから
50~70
日目

葉の茎が太くなり、カブのちょっけいが 4 ～ 5 センチメートルくらいになったら、しゅうかくします。

白くてひょうめんがツヤツヤしているね。葉も食べられるよ。

カブをもって、やさしくぬいてみましょう。せーの、よいしょ！ カブの根に土がついているのがわかるかな。

食べるのは茎か根か？

カブは、くきの下の方の胚軸が太ったところを食べます。

18 ページにのっているダイコンとくらべてみよう。

くらべてみよう

この本をよんでいる君は、もしかしたらダイコンとカブをそだてているかもしれないね。おなじ時にしゅうかくできたら、ならべてかんさつしてみよう。
ダイコンは胚軸と根が太ったもの。カブは胚軸（茎）で、その下のほそいものが根になるよ。おなじ根菜でもこんなにちがうんだね。

はっぴょうする・つたえる

ダイコン・カブをさいばいして、かんさつしたり、かんじたりしたことをまとめてはっぴょうしてみましょう。ここではポスターの作りかたをしょうかいします。きろくしてきたメモや写真をもとに、大きな紙にまとめます。

さいばいのけいかをつたえる

きろくした時に日にち、へんかをしるしていたね。それを使って、さいばいのけいかをつたえよう。

写真やスケッチをかつようする

さいばいのようすを写真やスケッチで見せるとわかりやすいです。

ぜんたいと小さなところをうまく見せる

せいちょうがわかる植物ぜんたいのすがたと、毎日かんさつしなければわからない、こまかいへんかをりょうほうつたえよう。

グラフを作ってみよう

せたけや葉のまいすうなど、すうじをきろくしていたものはグラフにしてみよう。

ふりかえり

さいばいがおわって、うまくいったところ、ぎゃくにしっぱいしたところなどもふりかえってみよう。「水をもっとあげればよかった」、「根が太ってきた時はうれしかった」などふりかえることで、次のさいばいにいかすことができるでしょう。

ダイコン・カブ新聞

2024年
12月1日　1号
発行　誠文堂新光社
わくわく園芸編集部

桜島ダイコン

ダイコン・カブのげんさんち

ダイコンもカブも中央アジアあたりがげんさんといわれているが、ちちゅうかいえんがんという説もある。シルクロードをたどり、中国から奈良時代に日本に入ってきたものや、ヨーロッパからシベリアけいゆで日本に来たものもあるといわれている。

ダイコン・カブのしゅるい

ダイコンもカブもいろいろなしゅるいがある。ダイコンは、桜島ダイコン、聖護院ダイコン、練馬ダイコン、青首ダイコン、三浦ダイコン、ねずみダイコン、二十日ダイコン、紅芯ダイコンなど。カブは、小カブ、大カブ、聖護院カブ、赤カブ、津田カブ、日野菜カブなど。

日野菜カブ

ダイコン・カブのなかま

ダイコンもカブもアブラナ科のなかま。キャベツやブロッコリー、チンゲンサイ、コマツナ、カリフラワー、ハクサイ、ミズナもみんなアブラナ科だ。

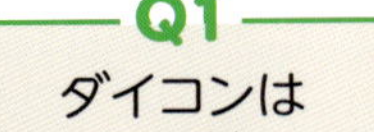
Q1
ダイコンは
どのぶぶんが太ったもの?

Q2
ダイコンやカブの
ふるさとは?

Q3
カブの花の色は?

＊こたえはいちばんさいごのページ（32 ページ）

さいばいをふりかえる～おわりにかえて～

ダイコンのさいばい
カブのさいばい
カブは～
ボクも見に行きたかったなぁ～
まぁまぁ
菜めしのおにぎりを作ったよ！
おいしかったー
見て！タネもとったよ
やったー
楽しんでもらえてうれしいよ！
来年もまたさいばいしてくれよな！
ドン
ドン
はーい!!

清水俊英（しみずとしひで）

1963年神奈川県川崎市生まれ。自然に囲まれて育ち、植物や昆虫が好きになる。1987年岩手大学農学部畜産学科卒業後、株式会社サカタのタネ入社。芝草種子の営業、造園緑花部緑花課長、資材統括部長、コーポレートコミュニケーション部長を経て、現在、同社理事。認知症予防専門士、樹木医、造園施工管理技士一級、グリーンアドバイザー。人と植物がゆるやかにつながり、両方が幸せに生きていける社会の役にたちたいと考えている。

イラスト・マンガ	坂木浩子
写真	徳田悟
	清水俊英（栽培写真）
表紙・本文デザイン	中澤明子
校正	株式会社文字工房燦光
協力	降旗大樹

「ダイコン・カブ新聞」（29ページ）　クイズのこたえ
Q1 根と胚軸
Q2 中央アジア・ちちゅうかいえんがん
Q3 黄色

マンガと写真でよくわかる
わくわく園芸部② ダイコン・カブ

2024年12月16日　発　行　　NDC620

著　　者　清水俊英
発 行 者　小川雄一
発 行 所　株式会社 誠文堂新光社
〒113-0033 東京都文京区本郷 3-3-11
https://www.seibundo-shinkosha.net/
印刷・製本　株式会社 大熊整美堂

ISBN978-4-416-52414-5

かんさつシートをかこう

学ねんや組、なまえを書きます。

かんさつした日づけとてんきを書きます。

かんさつシート　2年 1 組 なまえ ふりはただいき

11月 10 日 (日) てんき はれ

テーマ　土の上にダイコンが見えてきた

くきの下にダイコンの白いところがでてきた。

気づき　おとといひりょうをあげたらはの色がこくなった気がする。

植物のようすや、どんなおせわをしたかなど、テーマ(だい)を書きます。

植物のようすをスケッチします。しっかりかんさつして、こまかいところまでかいてみましょう。色をつけるとわかりやすいです。

かんさつしたことをことばでメモします。大きさや色、かたち、かず、植物をさわったり、ちかづいてにおいをかいだり、どのようにかんさつするかは君しだい！

かんさつやおせわするなかで、へんかがあったことや、はっけんしたことを書きとめておきます。